UN DRÔLE D'OEUF DE PÂQUES

D1543729

Données de catalogage avant publication (Canada)

Luppens, Michel, 1950-

   Un drôle d'oeuf de Pâques

   (Le raton laveur)
   Pour enfants de 3 à 8 ans.

   ISBN 2-920660-57-8

   I. Laverdière, B. (Benoît). II. Titre. III. Collection: Raton laveur
(Mont-Royal, Québec).

PS8573.U66D76 2000   jC843'.54   C99-941661-8
PS9573.U66D76 2000
PZ23.L86Dr 2000

Pour Marcel
et Marguerite

Le Conseil des Arts | The Canada Council
du Canada | for the Arts

Modulo Jeunesse remercie
le Conseil des Arts du Canada du soutien
accordé à son programme d'édition dans
le cadre du programme des subventions
globales aux éditeurs.

Cet ouvrage a été publié
avec le soutien de la SODEC.

Canadä Nous reconnaissons l'aide financière du gouvernement
du Canada par l'entremise du Programme d'Aide au
Développement de l'Industrie de l'Édition (PADIÉ)
pour nos activités d'édition.

Dépôt légal – 1er trimestre 2000
Bibliothèque nationale du Québec
Bibliothèque nationale du Canada
ISBN 2-920660-**57**-8

© Modulo Jeunesse, 2000
233, av. Dunbar, bureau 300
Mont-Royal (Québec)
Canada H3P 2H4
Téléphone: (514) 738-9818 / 1-888-738-9818
Télécopieur: (514) 738-5838 / 1-888-273-5247

Imprimé au Canada

CENTRE RÉGIONAL DE SERVICES
AUX BIBLIOTHÈQUES PUBLIQUES DE LA MONTÉRÉGIE
620507

UN DRÔLE D'OEUF DE PÂQUES

Texte:
Michel Luppens

3 0001 00395 845 3

Illustrations:
Benoît Laverdière

Le Raton Laveur

Nunuche est toute fière. Elle vient de construire son premier nid.
— Un vrai chef-d'œuvre! s'exclame le coucou.
— N'est-ce pas? répond Nunuche. Maintenant, je vais pouvoir pondre mon premier œuf.
— Intéressant..., ajoute le coucou.

Nunuche s'installe dans son nid. Et pousse. Pousse fort.
Trrrrès fort. Mais aucun œuf ne vient.

— Normal, fait remarquer Plumeau, le corbeau-joueur-de-tours.
Tu n'as pas compté!
— Compté? demande Nunuche.
— Ben oui. Pour pondre un œuf, il faut compter. Attends! Je vais
t'aider. Pousse et compte avec moi: 1... 2... 3... 4... 5... 6... 7... 8...

À « 9 », Plumeau glisse sous l'aile de Nunuche un superbe œuf en chocolat.
— Ah! mon premier œuf! Comme il est beau!

Immédiatement, Nunuche se met à le couver.
Une heure plus tard, l'œuf a tout fondu.
— Beurk! c'est dégoûtant! s'écrie une colombe qui passait par là.

— C'était juste une petite blague! dit Plumeau. Tiens, en voilà
d'autres pour me faire pardonner. Bon appétit!
Nunuche est un peu vexée. Elle n'aime pas qu'on se moque d'elle.
Ce n'est pas drôle!

 Dans quelques semaines, ce sera Pâques. Tous les oiseaux ont déjà commencé à décorer leur petit coin. Mais Nunuche n'a pas le cœur à la fête. Elle ne pense qu'à son premier œuf.

— Sois patiente! dit Oscar, le vieil hibou. Dans ta famille,
on a toujours pondu son premier œuf à la pleine lune.
C'est pour demain...

 De fait, le lendemain, **PLOUP!** Nunuche pond son premier vrai œuf. Radieuse, elle va annoncer la bonne nouvelle à Oscar.

À son retour, tout euphorique, elle ne remarque pas que son œuf a changé de couleur et s'assoit dessus sans plus tarder.

Aujourd'hui, c'est Pâques. La nature s'épanouit. Les feuilles poussent;
les fleurs éclosent partout. Même l'œuf de Nunuche fait **TOC! TOC!**
— Mon bébé! s'écrie Nunuche, tout attendrie.
— Coucou! dit l'oisillon.
— Bonjour! répond Nunuche, surprise que son rejeton parle déjà.

— Tu dois avoir faim, mon cœur! s'inquiète Nunuche. Attends, je vais te chercher à manger.

Presque aussitôt, elle revient au nid avec un ver de terre bien juteux. Mais le bébé oiseau en réclame un autre. Puis un autre. Et encore un autre... Il paraît insatiable.

Les jours passent. Le nouveau-né mange et grossit comme ce n'est pas possible. De plus, il chante à tue-tête du matin au soir, ce qui commence à agacer drôlement tout le voisinage.

— Tu sais quoi? dit Plumeau. Je pense qu'une maman coucou
t'a joué un tour de coucou.
— Un tour de coucou?
— Ton bébé n'est pas ton bébé. C'est un bébé de coucou.
— Et alors?
— Alors, je vais t'arranger ça!

Plumeau vient se poser près du nid et s'adresse au coucou:
— Dis donc, bel oiseau, sais-tu que tu chantes à merveille?
Quel dommage que par ici ta voix ne soit pas appréciée
à sa juste valeur! Tu devrais aller vivre chez les humains.
J'ai justement une carte ici avec un itinéraire pour s'y rendre.

— Il paraît que là-bas ils confectionnent, pour les artistes comme toi, des petites maisons superbement décorées. Et qu'ils aiment tellement les belles voix que toutes les heures ils s'arrêtent de travailler pour les écouter!

Le coucou se prend à rêver. Et si le corbeau avait raison? C'est vrai
qu'avec une voix comme la sienne il mériterait bien plus de respect
et d'admiration. C'est décidé! Il s'en va sur-le-champ!
— Adieu tout le monde! Je m'en vais là où mon talent sera reconnu!

— Bon voyage! lance Plumeau.
Puis, s'adressant à Nunuche:
— Avec la carte que je lui ai tracée, il mettra des années
à trouver son chemin!

Bien des lunes se sont écoulées depuis le départ du coucou.
Aux dernières nouvelles, il cherchait toujours sa route.

Quant à Nunuche, elle a mis au monde une
douzaine d'oisillons qui lui ressemblent.

Parfois encore, il lui arrive de découvrir à son retour au nid un
œuf d'une autre couleur.
Alors, si c'est le temps de Pâques, elle le décore avec minutie
et l'accroche à la plus belle branche de son arbre.

Sinon, après avoir invité à dîner Plumeau et Oscar, elle prépare une
recette délicieuse. Avec cinq ou six vers de terre bien juteux.

Le coucou, un drôle d'oiseau

Le coucou est un oiseau qui chante du matin au soir.
Il se nourrit de divers insectes et bestioles, comme
les chenilles, les mille-pattes et les araignées.

Mais il est surtout connu pour son parasitisme.
En effet, il ne se construit pas de nid et fait élever
ses enfants par des parents adoptifs.

À l'époque de la ponte, la femelle s'en va déposer
une douzaine d'œufs dans autant de nids différents.
Et pour que rien ne paraisse, elle subtilise chaque
fois un œuf.

Pis encore! Une fois né, le petit coucou s'approprie
toute la place en poussant par-dessus bord tous ses
demi-frères et demi-sœurs. Vilain coucou!